AF283076

# LAS PALABRAS
# LAS CARGA EL DIABLO

El lenguaje interno como instrumento de cambio

# LAS PALABRAS
# LAS CARGA EL DIABLO

El lenguaje interno como instrumento de cambio

## Juan Luis Ruiz Murciano

COLECCIÓN PRACTICA LA VIDA

·EDICIONES·PANGEA·

**Primera edición:** octubre de 2022

**Del texto:** © Juan Luis Ruiz Murciano

**De esta edición:** © Ediciones Pangea, 2022
41720 Los Palacios y Villafranca, Sevilla
www.edicionespangea.com

**Edición al cuidado de** José Peña Fierro
**Composición de la cubierta:** Marta Díaz (martadiaz.design)

**ISBN:** 978-84-125847-1-4
**Depósito Legal:** SE 1992-2022

**Impresión:** Ulzama Digital
Impreso en España / *Printed in Spain*

# AGRADECIMIENTOS

Dedicado a todos mis pacientes, con los que he compartido miles de experiencias y horas de nuestras vidas. Gracias a ellos he podido descubrir el hermoso misterio que contienen las palabras, su fuerza y el poder que generan en la transformación y el cambio de todo ser humano.

Gracias a mis hijos por la paciencia y el amor tan inmenso que me tienen; si no fuese por eso, no hubiese podido desarrollar mi trabajo.

Gracias a mi mujer por su apoyo incondicional en todo lo que hemos emprendido.

A mi padre, al que me faltaron palabras para decirle la importancia de las suyas en mi vida.

A mi madre, por enseñarme que el amor es la herramienta más poderosa que tiene el ser humano. Con ella, todo es posible.

# ÍNDICE

# INTRODUCCIÓN

Este pequeño cuaderno de terapia pretende, de manera humilde, exponer el conocimiento que he ido adquiriendo a lo largo de mi experiencia profesional sobre la mente y el comportamiento humano. Mi trabajo no ha sido solo una forma de ganarme la vida, sino que ha sido mi pasión, algo sobre lo que he invertido e invierto mucho tiempo. El conocimiento del ser humano a través de sus acciones, sus pensamientos, sus emociones o el lenguaje de su cuerpo se ha convertido para mí casi en una forma de vida. Mis imperfecciones, mis debilidades y mis defectos me han servido de base para comprender la esencia de lo que somos y cómo actuamos. Mi mente no es distinta a la vuestra, mis reacciones, mis pensamientos, mis tendencias, mis posibles obsesiones, al igual que mi forma de afrontarlas y enfrentarlas, son como las del resto de los mortales. Lo que sí, quizá, me hace diferente, como a muchos de vosotros, es la actitud o, mejor dicho, la elección de querer crecer y cambiar aquellas cosas que dejaron de aportarnos, o que han interferido e interfieren en nuestro día a día provocando sufrimiento, estrés y tensiones que derivan en patrones de acción reactivos e infructuosos.

Esa elección parte de algo que he comprendido en el desarrollo de mi trabajo y a lo que otros muchos profesionales han llegado: SOMOS LO QUE PENSAMOS. NUESTRA VIDA SERÁ COMO LA PENSEMOS Y SE CONSTRUIRÁ EN TORNO A ESOS PENSAMIENTOS E IDEAS.

El psicólogo y filósofo estadounidense William James sostenía que el descubrimiento más importante y significativo que se había hecho hasta la primera mitad del siglo XIX era el siguiente:

«Las personas acaban convirtiéndose en lo que piensan de sí mismas».

Al igual que en la carretera vemos carteles de publicidad despertando nuestros deseos y necesidades, nuestros caminos están llenos de esos carteles con un montón de creencias que se han ido formando a través de nuestra educación, formación, experiencias, etc. y que nos dirigen y condicionan a lo largo de nuestro desarrollo. Pero, a diferencia de los carteles de publicidad, que se van renovando con las tendencias y nuevos productos, adaptándose a las modas, muchas de nuestras creencias permanecen inmóviles, generando en nosotros rigidez y falta de flexibilidad en nuestro proceso de adaptación.

Así es, nuestra manera de sentir y de actuar solo dependerán del modo en que utilicemos nuestro lenguaje interno. La forma en que nos hablemos construirá nuestra imagen, ese concepto que vamos elaborando de nosotros mismos mediante nuestras experiencias. Un concepto que se irá formando con cada palabra que nos refiramos y nos refieran tanto sobre nosotros mismos como sobre nuestros actos o emociones. Y que nos llevará a enfocarnos de distintas formas a la hora de afrontar nuestras vivencias.

Algo que he aprendido y que vivo cada día es que nuestro subconsciente nos escucha, está atento a todo cuanto nos decimos o hablamos, y eso que escucha o vive lo procesa de tal modo que después nos hará sentir o vivir de una manera u otra. Si tú te dices cosas como «Esto no lo puedo hacer», «No seré capaz», «No estoy bien con esto», etc., nuestro inconsciente actuará y se mostrará como tal, lo que hará que nuestra respuesta hacia la vida sea tal como la pensamos.

Eso no quiere decir que si nos decimos que somos capaces lo consigamos de inmediato, pero sí nos dará la suficiente confianza para no rendirnos, para no dejar de intentarlo. Lo importante será aceptar la situación sin juicios, admitiendo nuestras limitaciones o debilidades sin crítica, permitiéndonos observar la realidad tal cual es, con lo que activaremos en nosotros una serie de habilidades cognitivas que nos permita ser más flexibles y creativos, llegando a adaptarnos con total seguridad a cualquier situación de nuestra vida, y consiguiendo o aproximándonos lo máximo posible a alcanzar todos los objetivos reales y maduros que seamos capaces de trazarnos.

Un lenguaje interno proactivo siempre nos permitirá estar en una actitud de búsqueda y compromiso con nuestra salud mental y física, nos aproximará a mantener el equilibrio emocional suficiente que hoy día necesitamos para abordar nuestras vidas con eficacia y nos dotará de las herramientas necesarias para adaptarnos en cada instante.

Hace muchos años, un paciente, después de muchas horas de trabajo y desarrollo personal, me dijo: «Juan, he encontrado la manera de ser feliz. La manera de conseguirlo está en saber vivir tanto los momentos agradables como los desagradables, pues todos son experiencias de mi vida que he de vivir, y de las cuales no estoy exento y a las que he de adaptarme. Cuanto antes me adapte a ellas y antes las viva, antes lograré la verdadera felicidad».

Ver esta opción no es fácil, encontrar en la adversidad una oportunidad de vida para aprender y crecer parece que es algo incoherente e incluso podría ser visto como una opción desconsiderada y fría. Pero no lo es, es una opción que nos brinda la vida para saber disfrutarla con plenitud. La vida se vive una vez, hay cosas que elegimos vivir y otras que no podemos elegir y que vendrán, y cuando lleguen solo hemos de pretender y escoger ser protagonistas de eso que nos ha tocado, pues es lo único que podemos hacer: elegir cómo queremos vivirlo, elegir cómo queremos participar en cada momento y cómo queremos pensar. En definitiva, asumir el control de lo que somos y hacia dónde queremos dirigir tanto lo que hemos decidido como lo que a veces nos toca.

Tener la capacidad de elegir es uno de los mayores tesoros que poseemos y al que menos valor le damos. Incluso hay personas que no saben ni que disponen de él.

Por eso, este cuaderno lo único que pretende es que aprendas a PRACTICAR LA VIDA con plenitud e intensidad desde el AMOR a ti mismo y a tu propia vida, eligiendo en todo momento lo que quieres, cómo quieres hacerlo, cómo quieres pensar y hacia dónde quieres dirigirte.

# 1
# Las palabras las carga el diablo

«Las palabras pueden inspirar. Y las palabras
pueden destruir. Elige bien tus palabras».
ROBIN SHARMA

La forma como interpretamos los hechos de nuestra
vida, la manera en que nos hablamos o usamos las
palabras para describirnos o corregirnos, así como
las recriminaciones que a veces nos hacemos y que
creemos que nos ayudarán a mejorar pueden llegar
a generarnos verdaderos desajustes emocionales,
hasta el punto de caer en estados de verdadera
ansiedad y bloqueos que nos impiden desarrollar
nuestras tareas cotidianas con fluidez y eficacia.

Dicho lenguaje interno surge de nuestras creencias, normas o reglas rígidas que hemos ido aglu-
tinando a lo largo de nuestra vida y grabando en
nuestro inconsciente a fuego. Cada creencia que
nos rige está latente en los actos que pensamos o
hacemos, es como el filtro a través del cual miramos la vida, lo que condiciona cada palabra que
nos dirigimos o el modo en que afrontamos los
hechos que acontecen día a día. Estas creencias

son aprendidas desde que somos pequeños y son transmitidas no solo por nuestros padres en su educación, sino por todo y todos aquellos que han formado parte en nuestro proceso de crecimiento, al igual que se han ido reforzando o extinguiendo con cada experiencia.

Muchas de ellas nos han ayudado a superar y afrontar nuestros problemas —podríamos decir que nos han protegido—, otras han demostrado ser inútiles y pronto las dejamos. **Pero las que en algún momento nos ayudaron son las que hemos de revisar y observar. Preguntarnos si hoy día nos ayudan a crecer o si, por el contrario, se quedaron obsoletas y antiguas, si son un elemento que nos aleja de nuestra estabilidad o nos sirven para adaptarnos a los cambios que sufrimos en nuestro camino. En definitiva, hemos de observar si nos llevan a una actitud PROACTIVA Y RESILIENTE.**

Un estudiante que constantemente utilice un lenguaje exigente, duro, en el que infravalore sus capacidades o solo se centre en la posibilidad de no fracasar, será un estudiante que mostrará un rendimiento por debajo de sus verdaderas posibilidades y estará más cerca del abandono que de conseguir llevar adelante sus estudios.

Una madre que a menudo esté juzgando sus decisiones, comparando sus actos con los de otras madres o buscando la perfección o el control de todos los hechos que acontecen en la vida de su familia será una madre con una carga emocional brutal que la llevará a un estado de sufrimiento continuo, como resultado de la culpa y su obsesión por la protección.

Una persona que se cuestione a sí misma por errores que haya cometido en su pasado, que entienda el error como fracaso, que no se permita el aprendizaje por su miedo a ser juzgada o que busque en sus actos la prueba inequívoca de su incapacidad se condenará a vivir en un permanente estado de ansiedad y depresión, además de confirmar sus profecías a lo largo de su vida.

En todos estos ejemplos, hemos visto cómo nuestra forma de hablarnos nos provoca sufrimiento y un gran desajuste emocional. Por ello, nuestro trabajo ha de centrarse en modificarla, educar nuestro lenguaje para que nos permita ajustarnos y adaptarnos a nuestras circunstancias de la manera más eficaz posible y siempre desde un modo respetuoso y conciliador para con nosotros mismos. Hemos de tratarnos como lo que somos: seres únicos, imperfectos, sencillos, que intentan aprender en el ejercicio de sus vidas. Seres capaces, que a veces sucumben a las exigencias y complicaciones que nos asaltan en nuestro camino debido a las falsas creencias que hemos construido sobre la felicidad y cómo conseguirla.

Pero, sobre todo, caemos en esos estados porque son muchas las ocasiones en las que nos damos por vencidos, en las que abandonamos por la falta de confianza en nuestras capacidades, porque somos incapaces de tratarnos con el amor y el respeto que merecemos, porque buscamos respuestas fuera de nosotros mismos, porque rechazamos el esfuerzo que significa el cambio, porque consideramos que en la vida todo ha de ser dispuesto como queremos, porque simplemente nos atrapamos en la necesidad de que otros nos cuiden o nos resuelvan nuestros problemas dejando a un lado nuestra responsabilidad. Acabamos perdidos en un egoísmo dañino, donde creemos que todo lo que nos sucede es por culpa de otros o por las estrellas que se han dispuesto para hacernos daño, porque no nos merecemos lo que nos ha tocado vivir, entendiendo la vida como una lotería, o entrando en la idea absurda de un destino escrito, del cual ya no podremos salir.

La vida es algo más que todas esas conjeturas, es algo más importante, más hermoso y complejo y se sustenta en nuestros actos, decisiones y formas de afrontar, se fundamenta en nuestros valores, filosofía, educación y formación, por lo que todo significado puede ser cambiado, mejorado y evolucionado desde nuestra **RESPONSABILIDAD**.

El crecimiento personal es una elección libre, cambiar la queja por el desarrollo, por nuestra evolución a través de la comprensión, la formación y el trabajo diario es algo que nos toca **ELEGIR** a cada uno.

Como he referido anteriormente, el lenguaje que usamos para con nosotros mismos es una de las claves para poder desarrollarnos con más eficacia. Es uno de los aspectos de mayor relevancia para conseguir un estado emocional más ajustado y equilibrado, además de ser el vehículo por el cual podemos conducirnos a lograr aquellas metas que nos proponemos, o por lo menos acercarnos lo máximo posible.

El lenguaje interno ha de basarse en varios principios fundamentales para crear un concepto de nosotros mismos más capaz, más real y que nos lleve a desarrollar una autoestima cada vez más fuerte, la cual nos dote de la seguridad y confianza necesarias para mantenernos en cualquier tarea hasta conseguir nuestros objetivos.

Un lenguaje interno a través del que seamos capaces de **establecer objetivos y metas reales ajustadas a nuestras capacidades y circunstancias, buscando los escalones necesarios que nos permitan subir de manera progresiva y constante.**

## RECORDEMOS QUE...

**1.** El lenguaje interno condiciona nuestras emociones y formas de afrontar los acontecimientos de nuestra vida.

**2.** La forma de hablarnos o interpretar los hechos de nuestra vida puede llegar a provocarnos sufrimiento psicológico.

**3.** El lenguaje interno es el resultado de nuestra educación, formación y experiencias vitales.

**4.** El lenguaje interno se transforma a través de la formación, la experiencia, la dedicación y el trabajo.

**5.** El uso de un lenguaje interno respetuoso, amable, comprensivo y empático para con nosotros mismos nos llevará al equilibrio necesario para abordar nuestras circunstancias con eficacia.

**6.** Un buen uso del lenguaje interno reducirá la posibilidad de desarrollar ansiedad y depresión.

**7.** Un lenguaje interno eficaz conduce al equilibrio emocional y a una adaptación continua y progresiva.

# 2
# El lenguaje interno como motor de cambio

> «Las palabras amables pueden ser cortas y fáciles
> de hablar, pero sus ecos son realmente infinitos».
>
> Madre Teresa

Como antes he dejado claro, nuestra forma de hablarnos es en la mayoría de las ocasiones la causante de nuestro malestar y sufrimiento.

Permíteme que te lo diga, pero en los últimos años nos han enseñado a creer que el único modo de ser felices es estar asentados en el bienestar, vivir de espaldas al sufrimiento. Es más, nos han hecho asumir que sufrir es anormal, que padecer miedo, ansiedad, tristeza o deprimirse es todo anormal y que aquel que lo siente sufre un trastorno mental, cuando el sufrimiento es inherente a la vida.

Parece que no podemos sentir nada que no sea felicidad y alegría. Estamos cayendo en el grave error de pensar que disfrutar es vivir constantemente en la cresta de la ola. Ya no vale tener la oportunidad de poder vivirla, sino que ahora hay que vivirla de manera intensa y agradable, nos han de pasar cosas positivas y merecemos todo lo mejor y, especialmente, que las emociones negativas no tengan lugar.

Hemos de saber que el sufrimiento también forma parte de nuestro bienestar y que, queramos o no, será parte de todo nuestro proceso vital. Solo necesitamos entenderlo, conocerlo y darle el sentido correcto en nuestra mente para que llegue a ser integrado y nos permita avanzar y evolucionar como personas. Y para eso tenemos la única herramienta posible: nuestro LENGUAJE, por lo que **educarlo, formarlo y potenciarlo será nuestro mayor tesoro.**

Deja de sentirte obligado a tener que vivir feliz y evitar a toda costa el sufrimiento y el malestar. Deja de creer cosas tales como que hemos de estar constantemente felices, que hemos de ser queridos por todos, que el proceso para llegar a alcanzar algo ha de ser fácil e inmediato, que hemos de estar continuamente hipermotivados para actuar, tener siempre ganas de hacer las cosas y tenerlas claras, que no podemos perder el tiempo, que no puede haber dudas o no puede haber otras alternativas para optar por distintos modelos de vida. Y sobre todo, deja de imponerte que debemos tener un permanente pensamiento positivo. En definitiva, todo lo que no sea esto está mal y, si está mal, algo nos pasa y, si algo nos pasa, estamos enfermos y, si estamos enfermos, necesitamos curarnos y, para curarnos, probablemente necesitemos medicinas.

Algo que las farmacéuticas han sabido aprovechar vendiendo su famosa píldora de la felicidad.

Pero ¿te has preguntado qué es lo que realmente estás consiguiendo al tomar esta píldora? Te lo digo yo: seguir creyendo que tú no puedes hacer nada por ti, que nunca podrás autorregular tu vida de manera consciente, que el cambio y el crecimiento personal no existen, que madurar es imposible, que las personas no pueden cambiar y que no tenemos ninguna influencia sobre nuestras vidas. Es decir, nos volvemos dependientes y vulnerables psicológi- camente y dejamos de responsabilizarnos tanto de nuestra salud como de nuestra persona.

Y si la pildorita no hace el efecto que uno quiere, entonces acabamos en el más puro abandono y fra- caso, pues llegamos a la idea de que nada ni nadie podrá ayudarnos a mejorar o solucionar nuestras dificultades.

¿Te has parado a pensar las causas por las que hoy tomamos pildoritas de la felicidad? Porque rompemos con nuestras parejas, porque suspen- demos exámenes, porque no dormimos bien, para afrontar la muerte de un familiar, porque las cosas no salen como uno quiere, porque nos han des- pedido, porque nos hacemos mayores, porque no tengo el cuerpo de Jennifer López, etc. Es decir, nos las comemos por cosas que hemos de aprender a afrontar, que forman parte de nuestro paso por la vida, siendo experiencias totalmente humanas y normales en nuestro crecimiento. En definitiva, situaciones que son consecuencia de algo tan natural como «Practicar la vida» y que lo único que requiere es aprender a interpretarlas de una manera más ajustada a la realidad, focalizarlas para que nos ayuden a tomar los hechos como un aprendizaje, aceptando y comprendiendo el sufrimiento como parte de nosotros mismos, que requiere de calma, elaboración y tiempo para desarrollar las estrategias necesarias para superarlo, que no es otra cosa que aprender a vivir con ello. Es decir, ser **RESILIENTES**.

A fin de cuentas, no necesitamos pildoritas, sino dedicarnos el tiempo suficiente para considerarnos **IMPORTANTES** y aprender a vivir responsabilizándonos de nosotros mismos.

Recuerda: lo que necesitamos es madurar, no curar.

El cambio psicológico no es algo fácil. Modificar nuestras tendencias, hábitos de pensamientos o sistemas de creencias, conceptos aprendidos sobre nosotros mismos y los demás, requiere mucho trabajo. Más aún cuando a través de estos procesos de aprendizaje hemos logrado algunos objetivos o nos hemos protegido. Dejar lo que creemos que es seguro a pesar de que nos genere gran dolor o ansiedad no resulta sencillo.

Como terapeuta, me gustaría tener las claves milagrosas para dotar a todos de un cambio rápido, pero la realidad no es esa. Como os he expuesto anteriormente, no existen fármacos, tampoco terapias, aparatos o energías paranormales capaces de producir el cambio psicológico y emocional en una persona de manera inmediata.

La resiliencia no es algo que llegue a nosotros de forma fortuita ni mágica, es un proceso a través del cual una persona va aceptando, asimilando, comprendiendo y elaborando aquellas experiencias que, por su intensidad o frecuencia, pudieron llegar a ser traumáticas, hasta el punto de que, finalmente, consigue flexibilizar e integrar lo que ocurrió en su vida, permitiéndole adaptarse a su nueva situación y circunstancia. La persona resiliente no olvida, no pretende dejar a un lado sus vivencias por muy duras que fuesen; no responsabiliza a los demás, las circunstancias o la luna de sus fracasos.

**El RESILIENTE es aquella persona que toma lo que ocurre como una experiencia más, se permite sentir y atiende a su emoción de manera consciente hasta llegar a comprender los hechos y a sí mismo. Trata el proceso como un aprendizaje donde cada decisión lo va llevando a nuevas respuestas que desencadenan en nuevas opciones que le permiten ir adaptando lo que él fue a lo que él es según el momento que le está tocando vivir. La persona resiliente, con cada experiencia, va alcanzando madurez, sabiduría, logrando obtener una mirada del mundo, su entorno y su persona más universal y capaz. Se vuelve más eficiente con la edad y los años.**

La persona que se sobrepone a una violación, a un accidente de tráfico grave, un cáncer, una ruptu-

ra o la pérdida de un empleo no lo hace de inmediato, como creemos, no puede no sentir el dolor de la
pérdida, la rabia, el pánico ante lo que viene después
de ese hecho traumático o difícil. Es falso que pueda
evitar pensamientos negativos e intrusivos; es más,
se harán reiterativos, persistentes y hasta obsesivos.

El que se sobrepone es el que decide mirar a
la vida en su plenitud, aceptando la contrariedad,
comprendiendo cómo la emoción humana es de gran
ayuda para su adaptación, el que se permite elaborar
los hechos, buscando las palabras adecuadas que
le permitan asimilar lo sucedido, tratando de hallar
un enfoque y perspectivas más reales y adaptativas.
Haciéndolo con paciencia hasta encontrar la calma
suficiente para tomar decisiones que le permitan
adaptarse y abrir el principio del camino de su recuperación. Sobreponerse o cambiar psicológicamente
es un esfuerzo consciente desde la humildad, el
conocimiento, la experiencia constante, el desarrollo de un trabajo sostenido y creativo en el tiempo y,
sobre todo, teniendo como principio el **AMOR A UNO
MISMO**. PRACTICANDO LA VIDA con curiosidad,
entusiasmo y creatividad.

El lenguaje y la forma en que lo usamos es la herramienta con la que podremos conseguir evolucionar
y adaptarnos a cualquier situación y que mal dirigida
puede causar estragos emocionales en una persona o
grupo. Por eso, el lenguaje, bien entrenado y enfoca-
do, nos podrá permitir avanzar de manera plena.

**Un autohabla más adaptativo y funcional nos facilitará afrontar nuestras circunstancias fluida y plenamente, tratando siempre de vivir cada hecho de manera consciente, siendo responsables de lo que somos, queremos y hacia donde vamos**.

En las competiciones deportivas de élite, es fácil observar cómo antes de la prueba la mayoría de los deportistas toman un tiempo para concentrarse. Los vemos focalizar su atención en el ejercicio a realizar y cómo verbalizan palabras y frases entre dientes para dirigir su mente hacia el objetivo. Es en ese instante, cuando están poniendo en marcha ese autohabla que les permitirá mantener una alta motivación tanto antes de la prueba como durante y después de la misma, independientemente del resultado.

El autohabla es una de las estrategias que más se practica para buscar la motivación, mejorar la confianza y dirigirte paso a paso hacia el desarrollo de tus objetivos.

El autohabla o lenguaje interno ha de ser desarrollado y entrenado en nuestra vida diaria a fin de conseguir encontrar una manera de procesar y entender todo el exceso de información que hoy soportamos, además de ayudarnos a buscar la estabilidad y el equilibrio emocional necesarios para crecer como seres humanos, permitiendo que las contrariedades, el sufrimiento, las alegrías o los éxitos sean abordados de modo coherente y adaptativo.

## RECORDEMOS QUE...

**1.** El lenguaje interno es la herramienta que nos permitirá el cambio psicológico.

**2.** La RESILIENCIA es un recurso del ser humano que se activa y desarrolla a través de nuestras experiencias, las cuales se construyen desde nuestro lenguaje interno.

**3.** El lenguaje interno se entrena y desarrolla como cualquier actividad cognitiva, física o intelectual.

# 3
# Los cinco fundamentos para un lenguaje interno eficaz y adaptativo

> «Las palabras son contenedores de poder,
> tú eliges qué tipo de poder llevan».
>
> JOYCE MEYER

Las técnicas para desarrollar el autohabla o lenguaje interno fueron definidas por los psicólogos Hackfort y Schwenkmezger en 1993. Consiste en el diálogo interno, a través del cual, el individuo INTERPRETA sus sentimientos y percepciones, REGULA y CAMBIA evaluaciones y convicciones, promoviendo INSTRUCCIONES y REFUERZOS. Llevar a cabo este autohabla de manera consciente y dirigida nos ayuda a manejar nuestros estados de ánimo, a responder eficientemente a situaciones de estrés y crisis de pánico, a manejar la ira y, sobre todo, a tener una autoestima, un autoconcepto, mucho más adecuada de nosotros mismos, algo que siempre nos ayudará a preservarnos de los males que hoy día azotan nuestra sociedad: la ansiedad y la depresión producidas por la pobre imagen que muchas personas pueden llegar a tener de sí mismas.

El primer paso para desarrollar el autohabla es **ser consciente** de este, observarlo y escucharlo, tomar nota de cómo nos hablamos en muchos momentos: no soy capaz, soy la peor, nada me sale bien, soy un fracaso, estoy gorda, soy inútil, no merece la pena vivir, estoy fatal, nada me sienta bien, tengo que hacerlo bien, no puedo equivocarme, tengo que tener éxito en todo lo que hago, etc.

El segundo paso, como he explicado en los capítulos anteriores, es saber que el diálogo interno puede llegar a complicar y facilitar nuestras capacidades, habilidades, rendimiento y estado de ánimo. Por lo que nuestro objetivo será tener presente que podemos **MODIFICARLO, CAMBIARLO Y USARLO** a nuestro favor si lo entrenamos y dedicamos un tiempo diario para ello. Es un proceso a través del cual produciremos un cambio en nuestras cogniciones, en nuestras emociones, así como en nuestras conductas, y llegaremos a conseguir una mejor adaptación e integración en nuestra vida.

Este lenguaje interno, según mi opinión, debe construirse siguiendo unos principios fundamentales, que serán necesarios para potenciar todo lo que somos: ACEPTACIÓN, COMPASIÓN, REALIDAD, FLEXIBILIDAD Y CREATIVIDAD.

A través de estos conceptos, iremos creando y dándole forma, acercándonos cada vez más a lo que queremos ser, **SIN JUICIOS**, desde lo que soy aquí y ahora, con disposición al cambio permanente, como evolución y crecimiento personal y siempre tomando soluciones creativas desde una posición optimista, asumiendo el reto como una forma plena de **PRACTICAR LA VIDA**.

Para ello, a continuación, iremos desarrollando estos cinco fundamentos con los que ir madurando un autohabla más eficaz.

Paso a paso os iré explicando qué es cada concepto y poniendo ejemplos de cómo podemos trabajarlos.

Hemos de tener en cuenta que los ejemplos expuestos son una base de apoyo para que construyamos un lenguaje propio. Dedica un tiempo a observar y repasar los matices y a estudiarlos, hasta estar a gusto con tu propia forma.

## PRIMER FUNDAMENTO

> «Las palabras que pronuncias se convierten en la casa en la que vives».
>
> HAFIZ

ACEPTACIÓN: es reconocer las situaciones que no deseamos en nuestra realidad, especialmente aquellas sobre las que no podemos hacer nada para modificarlas, aprendiendo a asumirlas (sin quejas ni excusas) y así fortalecer nuestra tolerancia a los errores, pérdidas o desengaños vitales. La aceptación nos lleva a abrirnos a considerar otras posibilidades, a buscar otras alternativas para seguir adelante, a comprender que la vida te ofrece muchas más opciones. Es decir, la aceptación te permite que, tras asumir un hecho que no puede ser cambiado, nos proyectemos hacia la posibilidad de actuar sobre aquello que sí podemos modificar, controlar o mejorar. **La aceptación permite vivirnos de manera incondicional, aceptando todo lo que somos y lo que hacemos, donde cada elección no es buena o mala, es una oportunidad para descubrir y avanzar a través de nuestras vivencias. Cada acción o elección nos conduce a una nueva experiencia que hemos de vivir plenamente consciente, no con la idea de ganar o perder, o tener éxito o fracasar, sino para descubrirnos mediante ellas y ser capaces de mejorar y evolucionar, con el único compromiso de permanecer en contacto con nuestras emociones, con nuestra realidad, para así poder actuar sobre ellas de un modo más adaptativo y eficiente.**

Nuestro cerebro se transforma a través de su **neuroplasticidad**, las neuronas van creando nuevas conexiones y procesos en su comunicación que generan cambios estructurales y, por tanto, cambios en nuestras formas de pensar, sentir y actuar. ¿Y qué hace que se produzcan los procesos cerebrales necesarios para activar esa neuroplasticidad?: la experiencia y la actividad mental a través de la reestructuración cognitiva, la meditación, la reflexión, etc.

Aceptarnos implica sentirnos libres para realizar una constante transformación, librarnos de la etiqueta fácil y torpe y del pasado culpabilizador y esclavizador. Aceptarnos significa tomar una actitud proactiva sobre nuestro presente con el único objetivo de madurar y crecer para poder transformar nuestra vida.

Podrías empezar repitiendo estas palabras de San Francisco de Asís como mantra:

*[Señor,] concédeme la serenidad para aceptar todo aquello que no puedo cambiar, el valor para cambiar lo que soy capaz de cambiar y la sabiduría para reconocer la diferencia.*

En nuestro lenguaje interno ha de estar presente esta aceptación tanto de uno mismo como de nuestros hechos. No hay hechos buenos ni malos, hay experiencias que nos hacen y contribuyen a nuestra sabiduría. Usarla como modelo y principio de transformación es nuestro objetivo.

Ejemplos:

**Ante el fracaso y la exigencia**. Es cierto que me gustaría haber avanzado más en mis estudios o vida laboral, pero he hecho lo que he decidido y, en otras ocasiones, lo que he podido en cada circunstancia que me ha tocado vivir. Mi vida está en continua transformación y cada día puedo decidir sobre lo que quiero hacer. Nada me impide centrarme en nuevos objetivos y avanzar en lo que quiero. Sé que con esfuerzo, dedicación y paciencia puedo llegar a alcanzar lo que es importante para mí.

**Ante ti y tu imagen.** Soy lo que soy sin más. Mi cuerpo y mi persona han evolucionado hasta lo que soy actualmente, por mi fisiología y también por mis decisiones y actos. Hay aspectos biológicos y físicos que no puedo transformar y otros que sí a través del cuidado, el respeto y el crecimiento personal cognitivo y emocional. Esa es mi responsabilidad.

Hasta ahora me he hecho a mí mismo/a y las circunstancias de mi vida han influido en mi transformación. Nada puedo hacer en mi pasado y lo que he hecho ha sido fruto del conocimiento que en cada momento he tenido. Cada día dispongo de la oportunidad de modificar en mi presente los aspectos que no me ayudaron o aportaron y que dependen de mí. Soy responsable de mí en este instante de mi vida y me acepto a pesar de mis debilidades y limitaciones.

Walter Riso, doctor en psicología y escritor de varios *best sellers* de autoayuda y crecimiento personal, nos invita a vivir según la siguiente regla: «Dirigir nuestra propia vida en lo que depende de uno y aceptarla tal cual es cuando no depende de uno, intentando reducir o atenuar la cantidad de dolor que de por sí implica el mero hecho de estar vivo».

Está claro, hay varios conceptos inmutables. Uno es que **el hecho de vivir nos enfrenta a momentos dolorosos y complejos, a contrariedades que hemos**

**de afrontar, a circunstancias desagradables que nos harán sentir emociones que no nos agradan, pero que son necesarias para aprender a vivir en equilibrio**. El segundo es que en la vida hay cosas que solo dependen de nosotros, otras en las que tenemos una cierta influencia y otras en las que no tenemos ninguna, y hemos de centrarnos únicamente en aquellas que podemos transformar a través de nuestra dedicación y esfuerzo.

La responsabilidad de nuestro estado emocional es una de ellas, al igual que hacia dónde queremos avanzar y lo que hemos de hacer para lograrlo.

El tercero es que nada se alcanza sin el tiempo, la información, la formación y la dedicación necesarios. Para lo cual cada persona tiene su propio ritmo de evolución, es algo tan personal como su huella dactilar. No hay nadie igual, nadie llega por los mismos cauces, nadie tiene más que nadie —a no ser que tenga una discapacidad severa—, solo nos diferencia la convicción, las ganas, nuestras formas de afrontar la vida, el respeto por nosotros, el amor, la educación, la formación, la responsabilidad y, sobre todo, la capacidad de adaptarnos.

Hoy nos enteramos en los medios de comunicación de personas muy jóvenes que mueren debido a la falta de responsabilidad sobre sus vidas. Pongo un ejemplo: chicas que se someten a operaciones de reducción de estómago y mueren en una sala de quirófano por no aceptar y asumir lo que son, además de no asumir su responsabilidad en el proceso. Es decir, aunque sea duro decirlo, antes de llegar a ese quirófano dejaron de amarse, respetarse, autocuidarse y autoquererse, querían un proceso rápido, inmediato, pero no dejar la comida basura, no hacer ejercicio, no beber bebidas con contenidos altos en azúcares, etc. Se habían dado por derrotadas, se habían abandonado. A raíz de esto, quedaron expuestas, frágiles y vulnerables.

La aceptación es el primer paso para avanzar hacia un final que realmente nos dé una solución segura y sostenida en el tiempo.

Recuerda: aceptar no es igual a resignarse. Aceptar es igual a avanzar.

## SEGUNDO FUNDAMENTO

«La felicidad consiste en poner de acuerdo tus pensamientos, tus palabras y tus hechos».

GANDHI

**COMPASIÓN**: nos ayuda a transformar el sufrimiento inútil y destructivo por el bienestar fruto del respeto y amor a uno mismo y, por ende, a los demás. La compasión es una herramienta poderosa si sabemos dirigirla hacia nosotros mismos cuando las cosas no salen como queremos, dejando la autocrítica y la humillación fuera de nuestras vidas.

En definitiva, a través de la compasión somos capaces de afrontar las consecuencias negativas de la autocrítica destructiva y de la vergüenza que a veces nos provocamos en nuestras interacciones sociales. Mediante la autocompasión, somos capaces de producir emociones agradables y equilibradas, que son muy importantes para llegar a sentir lo que muchos llaman «felicidad» y que a mí me gusta llamar autorregulación o ajuste emocional.

La autocompasión nos invita y nos lleva a actuar desde el compromiso con nuestra salud, con el único objetivo de reducir el sufrimiento y generar bienestar. **A través de ella, somos capaces de atendernos con respeto, evaluar desde la realidad lo que somos, las circunstancias y hechos, sin juicios ni críticas, reforzando nuestra autoaceptación y, por tanto, poniendo en marcha las herramientas que disponemos para llegar a soluciones eficaces.**

En definitiva, la autocompasión se refiere a cómo nos tratamos cuando las cosas no salen como queremos, o cómo afrontamos las contrariedades.

Kristin Neff (2003), profesora adjunta de Desarrollo Humano en la Universidad de Texas, nos propone la siguiente definición de compasión: **«Estar abierto y movido por nuestro propio sufrimiento, experimentando sentimientos de cariño, de bondad hacia uno mismo, tomando una actitud de entendimiento hacia los fallos y las incompetencias propias que**

**nos juzgan y reconociendo que nuestra ex-
periencia es parte de la experiencia de toda
la humanidad»**.

Es decir, nos plantea TRES conceptos claros:
TRATARNOS CON CARIÑO, DARNOS CUENTA
DE QUE SOMOS HUMANOS y de que hemos de tener
CONSCIENCIA DE LO QUE SOMOS Y SENTIMOS.

La debilidad está en no aceptar nuestras limitaciones, en no ser humildes, en desear constantemente un éxito que imaginamos que merecemos y que se
nos tiene que dar de inmediato. Nuestro fracaso está
en determinar objetivos exagerados, que nada tienen
que ver con nuestro presente: no puedo pretender el
amor de alguien cuando aún no lo conozco, no puedo
querer desarrollar un trabajo que no he realizado
antes, no puedo aprobar exámenes para los que no
estudio suficiente, no puedo adquirir un hábito que
no he realizado nunca, no puedo obtener la motivación si antes no me implico en un objetivo desde
el esfuerzo y la responsabilidad. Es decir, podemos
etiquetarnos como torpes, feas, inútiles, fracasados,
flojas, incapaces, sin haber llegado a iniciar nada,
todo por el hecho de creer que las cosas han de estar
porque yo lo deseo, sin más. No hay resultado si
previamente no iniciamos el proceso que nos lleva a
aproximarnos a eso que un día decidimos alcanzar.

**Ejemplo:**

Primer día de trabajo. Estoy nerviosa, agobia-
da, pienso que todo me va a salir mal, que la voy

a cagar, que todos se van a dar cuenta de que no tengo ni idea y de que, además, parece que estoy engañando a todo el mundo. Qué hace una tía como yo quitándole el puesto a otra persona que tiene más capacidad y que de verdad lo necesita. Nunca conseguiré nada.

**Cómo abordarlo desde la aceptación y la compasión hacia un compromiso real de cambio**:

Cerremos los ojos por un momento y conectemos con la emoción que estamos percibiendo, notemos lo que sentimos: estamos nerviosos, ansiosos; es normal, vamos a empezar un nuevo trabajo. Observemos cómo los pensamientos fruto de la ansiedad, de esas falsas creencias sobre nuestra capacidad y valor, empiezan a acechar (tengo que ser buena en todo lo que hago, no puedo fallar, tengo que hacerlo bien, debo ser eficiente y competente, etc.). **El miedo comienza a hablar y a buscar las excusas para no iniciar**, para no afrontar, ya que da por hecho que no lo vamos a lograr. Nos aturrulla con mentiras, quiere evitar el sufrimiento impuesto por su intolerancia, por su terror a no ser lo que esperamos, a no conseguirlo, a ser criticados o rechazados. Todo forma parte de creencias exigentes, irracionales, caprichosas e inmaduras. Creencias alejadas de la realidad y fundamentadas en argumentos infantiloides, no meditados, argumentos basados en la exigencia de que todo nos ha de salir como yo quiero, o tenemos que alcanzar todo lo que nos proponemos sin esfuerzo, o tenemos que ser aceptados por todos, o nunca recibiremos el amor de alguien, o tenemos que ser deseadas por todos, etc.

Todas estas ideas son las herramientas que usa la ansiedad para hacernos huir, para que no descubramos la realidad y sigamos encarcelados en el pánico.

Por eso, hemos de conectar con ello como un observador, como alguien que descubre poco a poco lo que la mente es capaz de desarrollar con el objetivo de protegernos o huir de lo que ella considera fracaso o malo, de lo que considera dolor, y que trata de evitar a toda costa a través de esas ideas y emociones tan intensas y desagradables que nos obligan a actuar hacia una actitud cada vez más patológica. Conectar nos ayudará a que aceptemos la emoción, que miremos esas ideas, dejándolas pasar y comprendiendo lo que hablan, cómo nos asustan y manipulan. Es la única forma de poder comprender e iniciar los pasos para cambiar, para buscar un lenguaje interno más real, amable y adaptativo, algo así como lo siguiente:

**Me gustaría hacerlo, ser eficiente, pero todo es nuevo para mí, he de tomar un tiempo para poder aprenderlo, es necesario tomar mi tiempo de prácticas. Tengo ganas de hacerlo de manera correcta y eso me ayudará a estar atenta, a preguntar y comprometerme con mi trabajo. He tenido muchas dificultades**

para llegar aquí y son muchos los momentos que he superado; por eso, he de respetar todo ese esfuerzo. He hecho lo que he podido y ahora puedo seguir trabajando conmigo. Es el momento para afrontar esta nueva contrariedad. Respira con calma y sé consciente, deja que la mente se abra a la posibilidad de aprender, a la posibilidad de ser humana como todos y permite el error para así poder aprender con más seguridad y confianza. Deja que los demás adviertan mi inexperiencia para así recibir la ayuda que me permitirá avanzar. Soy una más, alguien que quiere crecer poco a poco y conseguir valerse por sí misma. Respira y deja que el cuerpo sienta ese temor, es natural, afrontar significa reaccionar, tensionarse, alertarse para que mi cerebro pueda actuar ante la dificultad, la emoción me ayuda. Deja que esté y compréndela. Tómala, y vive este momento de manera consciente, es una oportunidad para avanzar y mejorar, para transformar aquello que he advertido a lo largo de mi vida, que he de corregir y que no me aportan. Este es el momento, este es mi presente, es lo único que depende de mí. Actúa con calma y sinceridad. Sé honesta contigo, deja que la mente se abra a la realidad, soy lo que soy, me acepto a pesar de mis limitaciones y dificultades. Siente el corazón latir y aprecia la posibilidad, estás viva para poder hacer. Es hermoso poder dedicar mi tiempo a hacer aquellas cosas que son importantes para mí, hazlo con curiosidad, ganas, aprende y deja que la mente y el cuerpo se empapen del instante. Deja las resistencias, abre la mente a la posibilidad de ser yo, una más, alguien que solo pretende practicar la vida con lo que tiene y es. La felicidad está en practicar cada momento, aceptar lo que viene, asumir lo que puedo y actuar en lo que depende de mí. Nada es mejor y nada es peor, todo es un continuo en mi aprendizaje constante. Vivir consiste en esto: en ir poco a poco superando cada reto, descubriéndome en cada paso, evolucionar mis capacidades, ir adaptándome y construyendo aquello que quiero. No hay tiempo, hay vida para hacer y actuar, las cosas llegan cuando llegan, no precipito nada, solo vivo cada instante que he decidido, pues ese es el que me llevará adonde yo quiero.

Por tanto, ACEPTACIÓN y COMPASIÓN consisten en dirigir nuestro diálogo interno a una consciencia de nosotros más humana, más respetuosa con lo que somos, aceptando nuestras limitaciones y fortalezas, asumiendo nuestro pasado como una experiencia vivida que nos ha hecho y que nos da la oportunidad de cambiar aquello que depende de nosotros en este presente. Además de asumir la responsabilidad necesaria para tomar las iniciativas que nos dirijan a un cambio eficaz y continuo, con el único objetivo de transformar nuestro sufrimiento en bienestar, e ir paulatinamente aproximándonos a lo que deseamos. En definitiva, nos llevan al compromiso de **autocuidarnos** desde el amor a nosotros mismos y a nuestra vida.

## TERCER FUNDAMENTO

«Tus palabras se convierten en tu mundo».

NADEEM KAZ

**REALIDAD:** la palabra es el gran tesoro del ser humano y saber utilizarla de manera consciente nos dota de un inmenso poder. Si te detienes por un momento a pensar, observarás que, cuando usas un lenguaje negativo y pesimista, tu vida toma ese color, tu estado de ánimo se oscurece y todo cuanto gira a tu alrededor se transforma. Nuestra calidad de vida depende del uso que le demos a las palabras, pues a través de ellas construimos nuestra realidad, nos construimos a nosotros mismos, al igual que influimos a los demás, por lo que has de tener cuidado con lo que dices, recuerda que «las palabras las carga el diablo». De ahí mi insistencia en recordarte que manejar y modular lo que hablamos, lo que nos decimos, nos permitirá modificar nuestros pensamientos e ideas, así como nuestras emociones y nuestra manera de afrontar y actuar en nuestro día a día.

A través de las palabras construimos nuestra realidad, y esto es una de las claves a tener en cuenta, ya que será esa realidad la primera que nos interfiera en nuestra manera de abordar nuestro presente, así como la que construirá nuestras historias. Pues esto somos, realmente, un cúmulo de historias construidas a lo largo de nuestras vidas.

De la realidad hemos de saber varias cuestiones: una, que la realidad física nada tiene que ver con la realidad psíquica y, dos, que la realidad psíquica la construimos nosotros a través del significado e interpretación que damos a lo que percibimos, es decir, a través de nuestra capacidad para dar uso a las palabras, capacidad que va a depender del conocimiento que tengamos de las mismas. Mediante el lenguaje describimos nuestra realidad próxima. Las palabras tienen el poder de influir directamente sobre la realidad que creamos. Utilizar unas u otras palabras nos llevará a elaborar procesos cerebrales que activarán nuestra respuesta emocional y generará así todos nuestros patrones de conducta.

**Ejemplos:**

Cuando nos equivocamos - - - - - - - - - - - - - - - - - - - - - - - - - - - ¡Qué torpe soy!, ¡qué inútil!

Cuando las cosas no salen como queremos - - - - - - - - - - - - - - ¡Mi vida es una mierda!, ¡tengo muy mala suerte!

Ante un evento importante (examen, entrevista, nuevo trabajo) - - - - - - - - - - - - - - - - - - - - - - - - - - - - - - - - - - - - ¡Seguro que la cago!, ¡voy a suspender!, ¡nadie se fijará en mí!, ¡soy lo peor!

Cuando nos miramos en el espejo - - - - - - - - - - - - - - - - - - - - - ¡Qué gordo estoy!, ¡qué asco!

En ningún momento observamos la realidad ni la describimos, únicamente etiquetamos y calificamos. Ten en cuenta que el cerebro humano por medio de sus sentidos y capacidad de asociación y elaboración solo es capaz de percibir un cinco por ciento de la realidad física que experimentamos. Y, aun así, ha podido adaptarse y ser la especie que ha dominado, pero no gracias a sus capacidades sensitivas y perceptivas, sino a algo más complejo y milagroso: LA CONSCIENCIA. Este recurso o capacidad, como la quieras llamar, es exclusivamente humana.

Lo que debemos saber de la consciencia es que en ella es donde nosotros representamos nuestra realidad, construyendo lo que llamamos «realidad psicológica». ¿Y cuál es el problema? Pues que nosotros somos los que dirigimos esa representación de la realidad, es decir, somos guionistas y directores de nuestra propia película, por lo que, a partir de ese instante, la realidad como tal dejó de existir.

Incluso cuando crees que estás viendo un simple objeto, nunca lo ves como tal, siempre añadiremos un atributo, la silla cómoda, el vestido feo, la comida salada, y a partir de ese atributo transformamos la realidad, construyendo una experiencia personal muy distinta de los demás y que después generará procesos cerebrales que influirán en nuestros patrones de acción.

Por tanto, nuestra realidad se construye del significado que nosotros le damos a todo lo que nos acontece, es decir, vivimos una realidad subjetiva, algo que no puede ser totalmente definido con palabras y que engloba a todo nuestro ser.

Ponemos ahora un ejemplo ante una particu-
laridad de un trabajo: imagina que nos encontramos con una contrariedad en el trabajo que nunca
habíamos abordado y, ante eso, damos el siguiente
significado: «No voy a poder con esto, no tengo la
preparación para realizarlo, voy a meter la pata,
**verdaderamente soy muy torpe, seguro que
lo fastidio todo y me echarán**». A partir de
ese momento, la realidad de nuestro día cambiará,
nuestra forma de abordar el problema tomará unas
dimensiones muy diferentes, llegará a influir de
manera muy directa en tu rendimiento y provocará
grandes interferencias en tu flexibilidad y creatividad, variables fundamentales para resolver un
problema de manera eficaz.

Si en el mismo ejemplo esa contrariedad la
asumiésemos desde la realidad de lo que sabemos
y somos, buscando un lenguaje más objetivo, útil y
coherente, el significado hubiese sido el siguiente:
«Es un trabajo difícil, no lo había hecho antes, voy
a preguntar e informarme de las posibles causas y
soluciones que hay. **Es una oportunidad para
aprender algo más de mi trabajo y crecer
profesionalmente**. Desarrollarlo me permitirá
avanzar y evolucionar».

Esta forma de interpretar la realidad nos permite tener una actitud proactiva, la cual nos llevará a
abordar la tarea con atención y eficiencia, abriendo nuestra mente a las distintas posibilidades que

puedan surgir del estudio y el propio proceso de solución.

Si nos damos cuenta, la realidad física es la misma, pero la realidad psíquica es muy diferente, y en ambos casos nos transporta a emociones y patrones de acciones muy distintos.

Imagina que nos encontrásemos con ambos sujetos a la salida del trabajo y les preguntásemos por su experiencia. ¿Qué crees que nos dirían? Ponte en la piel de cada uno y responde.

**Trabajar con la realidad significa usar las palabras que nos hagan describir nuestro momento presente de la forma más ajustada posible a lo que está ocurriendo, tratando de dejar a un lado los juicios y las etiquetas cerradas y rígidas, apartando las especulaciones y anticipaciones y los argumentos basados en pasados lejanos y construidos en recuerdos sesgados por nuestras interpretaciones, utilizando un lenguaje más descriptivo con lo que ocurre aquí y ahora, además de más rico en matices.**

**Ejemplo 1**:

Lenguaje Reactivo:

P: ¿Cómo te ha ido el trabajo?

T: Fatal (juicio, etiqueta rígida que dice y expresa poco sobre la realidad y que tampoco aporta nada a nuestro desarrollo).

Lenguaje Proactivo:

P: ¿Cómo te ha ido el trabajo?

T: Ha sido un día duro. Han surgido varios problemas que nos han tenido bastantes horas muy nerviosos y preocupados porque no sabíamos cómo resolverlos. Le hemos dado muchas vueltas, incluso hemos pedido ayuda para dar solución a todos los problemas que se nos han venido encima. Aún quedan algunos, pero al final lo hemos conseguido (sin juicios, un lenguaje descriptivo centrado en el problema, desde la aceptación de la complejidad hasta la responsabilidad de buscar opciones y soluciones, en definitiva, un lenguaje proactivo).

**Ejemplo 2**:
Lenguaje Reactivo:
*Situación: discusión de pareja.*
M: Seguro que está cansada de mí, la relación va fatal, no podré seguir sin ella, mi vida es un desastre, seguro que me va a dejar.

Lenguaje Proactivo:
*Situación: discusión de pareja.*
M: Aunque no me guste discutir con mi pareja, al menos hemos sido capaces de expresar lo que pensamos y queremos. Sería importante para los dos hacerlo más a menudo y no llegar a estas tensiones. El problema es que nos callamos y no expresamos las cosas en el momento. Nos falta comunicación, si solucionamos este aspecto, seguro que mejoraremos como pareja.

**Ejemplo 3:**

Lenguaje Reactivo:

*Situación: estoy enfermo, tengo dolores crónicos.*

M: No puedo más, no puedo soportarlo, no quiero seguir viviendo de esta manera, soy un inútil, no podré realizar ningún trabajo, soy un fracaso.

Lenguaje Proactivo:

*Situación: estoy enfermo, tengo dolores crónicos.*

M: A veces me cuesta sobrellevar estos dolores y me siento agotado. Es importante descansar y tomar un rato para calmarme y relajar el cuerpo. No puedo hacer las cosas como antes, lo importante es hacerlas poco a poco. Mi recuperación requiere tiempo, sé que los dolores me acompañarán, pero también sé que a través de la relajación mejora mucho mi estado y puedo calmar el dolor unos grados, lo cual me permitirá estar más tranquilo y sentirme más cómodo.

## CUARTO FUNDAMENTO

«Las palabras son como monedas, tanto una puede valer por muchas como muchas no valen por una».

FRANCISCO DE QUEVEDO

**FLEXIBILIDAD**: en la misma línea que vengo explicando los demás fundamentos, la flexibilidad psicológica, y según el psicólogo estadounidense Steven C. Hayes, nos permite aprender a no evitar lo que nos resulta doloroso, aproximándonos al sufrimiento de manera consciente para así poder vivir cada experiencia de nuestra vida de manera plena, llena de sentido y propósito.

A través de la flexibilidad vamos desarrollando nuestra capacidad para sentir y pensar, abriendo nuestra mente de manera voluntaria a la experiencia del momento presente. Nos permite avanzar hacia lo que es importante, desarrollando hábitos sanos que sean congruentes con lo que somos en cada momento y nuestra realidad inmediata.

Insistir en la idea de acercarse al sufrimiento, aceptarlo, vivirlo como una experiencia necesaria y natural parece algo sin sentido, pero es lo que, tras miles de investigaciones psicológicas, ha resultado útil para afrontar nuestras vidas de manera sana y equilibrada mentalmente.

Educar nuestra flexibilidad nos va a permitir tomar cada instante de nuestra vida como un momento de aprendizaje enriquecedor, donde descubrirnos se hace necesario, al igual que desarrollar las estrategias que nos permitan abordar experiencias futuras similares con eficacia y confianza.

Decía César Manrique, pintor y artista español, que «la vida es un instante y que un instante es la vida».

La flexibilidad cognitiva es un recurso que todos tenemos para adaptar nuestras conductas y pensamientos a cada circunstancia de vida que surge de manera inesperada o fortuita tomando todas las perspectivas posibles. Gracias a esta capacidad podemos adaptarnos de forma más eficiente y acercarnos a nuestros objetivos.

Al ser un recurso de nuestro cerebro, podemos educarlo y desarrollarlo, algo que va a contribuir a conseguir una mejor calidad de vida emocional y personal, dado que nos permitirá buscar soluciones, encontrar estrategias, tener una apertura mental al cambio y ser más eficientes, por lo que nos dotará de una mayor seguridad y confianza.

El principal problema que hallamos en los pacientes con ansiedad y depresión es su rigidez cognitiva, la dificultad enorme que presentan para cambiar tanto sus patrones de pensamiento como de conducta, a pesar de que estén agravando y manteniendo sus desajustes emocionales, al igual que interfiriendo de manera significativa en su adaptación.

Decía el físico alemán Albert Einstein que «la mente es como un paracaídas, si no se abre es algo inútil y mortal». Y es por esta razón por lo que la flexibilidad cognitiva es tan importante para el ser humano, porque nos permite ser libres en nuestros pensamientos y salir de la esclavitud de las ideas o pensamientos rígidos.

A través de la flexibilidad cognitiva encontramos el modo de solventar diferentes situaciones, nos permite estar dentro de un aprendizaje continuo que nos llevará al desarrollo de esta habilidad y, por tanto, a ser creativos y capaces de dar solución a cualquier situación que se nos presente. En definitiva, es como ir en ese paracaídas abierto sobrevolando todo el paisaje, observando todo con gran distancia, con gran amplitud, tomando una percepción del mundo muy diferente y, sobre todo, en la paz del silencio.

Por ello, cuando activamos un lenguaje interno desde la flexibilidad hemos de trabajar una característica importante como es la **distancia**. Alejarnos y tomar una posición más alejada del hecho nos va a permitir abrir nuestra mente a otras perspectivas y alejarnos de esos patrones de pensamientos inflexibles.

Imagina por un momento que estás en mitad de un bosque, donde la arboleda y su frondosidad no te deja ver más allá de la vereda que seguimos. Nos sentimos confundidos, desorientados, cansados y volvemos a tomar la ruta que nos hace seguir dando vueltas sin sentido. A medida que avanzamos, más desesperados, hasta que, de pronto, vemos un árbol que, debido a su forma y ramaje, nos da una idea: subirnos a él para poder ver, para poder observar y encontrar otra opción. Subimos y... ¡zas!, ante nosotros, otras perspectivas muy distintas del bosque. En ese instante, todo cobra una dimensión diferente: la oscuridad se hace luz, nuestro cansancio desaparece y nuestra nueva realidad nos permite hallar la motivación necesaria para cambiar el rumbo y alcanzar una salida.

Para encontrar esas nuevas perspectivas, vamos a hacer a nuestra mente trabajar como un filtro. En concreto, un filtro de cuatro capas, y cada capa va a tener la función de depurar y limpiar esos pensamientos, hacerlos más sanos, consiguiendo abrir poco a poco otras perspectivas que te hagan buscar posibilidades de pensamiento más adaptativos.

Un filtro que nos permita tomar más consciencia de lo que pensamos, de su racionalidad u objetividad, de su utilidad, de la forma en que nos hablamos y dirigimos a nosotros mismos y de la intensidad que provoca en nuestra respuesta emocional, además de cómo nos impulsa a reaccionar. Un filtro que nos lleve de modo natural a elaborar pensamientos más sanos y funcionales y, sobre todo, un filtro que nos posibilite diferenciar entre lo que significa pensar, imaginar, idear y que es real en nuestro momento presente, aquí y ahora. Un filtro que nos permita vivir de manera más eficiente y con mayor flexibilidad. Este filtro podría consistir en lo siguiente:

1ª CAPA: lo primero que hemos de ser es objetivos, ayudarnos con preguntas que cuestionen la objetividad de nuestras ideas, buscando pruebas sólidas y reales sobre lo que pensamos. Mira la historia de nuestros pensamientos y lo que realmente ha ocurrido. ¿Cuántas veces hemos tenido este tipo de pensamientos? ¿Cuántas veces ha ocurrido lo que hemos pensado? ¿Qué pruebas reales tengo aquí y ahora sobre lo que estamos pensando? ¿En qué nos basamos para llegar a este tipo de pensamientos? ¿Qué pruebas tenemos aquí y ahora de lo contrario? ¿Hay otras posibles explicaciones en este momento para lo que estamos pasando o lo que estamos sintiendo? ¿Qué pensamos sobre nosotros mismos?

2ª CAPA: observa si esa idea o pensamiento te ayuda o si es útil para conseguir tus objetivos o metas. Pregúntate para qué te sirve, qué utilidad tiene en este instante, si nos ayuda a avanzar o resolver la situación o siquiera nos aproxima a dar una solución eficaz o superar la situación de manera adaptativa y sana.

3ª CAPA: cómo nos hablamos, qué nos decimos, pregúntate si es exagerado, dramático o se basa en criterios coherentes y no especulativos. Observa si tu mente es autocrítica o te culpabiliza. Si ese lenguaje interno que aparece te motiva a seguir o, por el contrario, te bloquea y limita. Si te dirige a soluciones reales que te permitan adaptarte o, por el contrario, te lleva a opciones catastróficas y pesimistas.

4ª CAPA: observemos cómo nos hace sentir. A qué emoción nos lleva, si esa emoción nos permite reaccionar de manera adaptativa o, en cambio, interfiere en nuestras vidas diarias, de tal forma que, más que vivir una emoción, entramos en un sufrimiento continuo y paralizante. Cómo nos hace actuar y qué nos impulsa a hacer.

Una vez hecho este análisis y depuradas nuestras ideas y pensamientos, es importante que busquemos nuevas opciones que reúnan los criterios que antes hemos visto, que, desde la realidad presente que vivimos, tratemos de ejercitar un lenguaje que busque la aceptación tanto de nosotros como de los hechos, emociones, etc., que sea compasivo y no juzgue, que salga de las etiquetas fáciles e ineficaces, como bueno, malo, fatal, mal, bien, mejor o peor, que no sea rígido, eliminando los «nunca», «siempre», etc., busquemos un lenguaje centrado en nuestro presente y en el amor a uno mismo, a nuestra vida, a lo que nos rodea, asumiendo la vida como una serie de experiencias, donde cada una de ellas es algo más que nos permite crecer y evolucionar.

FILTRA y FLEXIBILIZA: ¿podríamos buscar pensamientos más objetivos, útiles, que tengan un lenguaje más compasivo y ajustado a la realidad y que nos hicieran sentir más estables y adaptarnos mejor, actuando de una forma más funcional?

Dinamizar nuestros pensamientos junto con la aceptación, la compasión y desde la realidad nos hará poder llegar a desarrollar el…

## QUINTO FUNDAMENTO

Algo tan importante en todas las áreas de nuestra vida: **CREATIVIDAD**.

Este aspecto solo es posible si uno encuentra a través de su lenguaje interno la calma suficiente para que todo nuestro cerebro trabaje a nuestra disposición. Una mente entrenada en buscar los recursos oportunos para cada situación que nos toque vivir.

Aglutinar estos conceptos y entender su importancia para desarrollar un lenguaje interno eficaz es algo que conseguiremos a través de la dedicación y el trabajo.

## RECORDEMOS QUE...

**1.** Mediante el lenguaje interno interpretamos nuestra realidad y construimos nuestro propio mundo psíquico y emocional.

**2.** Nuestro lenguaje interno puede ser regulado y modificado, lo cual nos llevará a otra forma de ver la realidad más sana y adaptativa.

**3.** Nuestro lenguaje interno debe construirse sobre cinco principios fundamentales: aceptación, compasión, realidad, flexibilidad y creatividad.

**4.** El desarrollo de estos fundamentos requiere consciencia, dedicación y esfuerzo.

**5.** Un lenguaje interno sano promueve el amor a uno mismo siendo conscientes de lo que somos y de lo que podemos, tolerando nuestras debilidades y potenciando nuestras fortalezas.

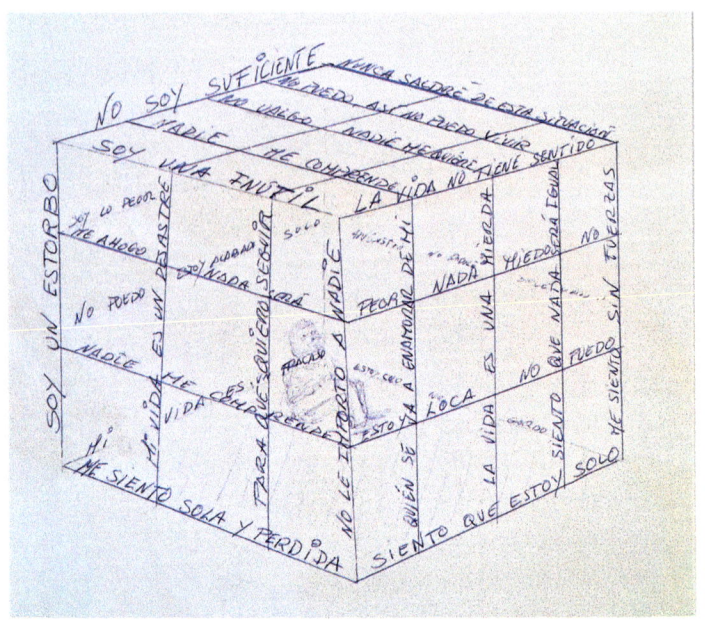

# SECUESTRADO POR TUS PENSAMIENTOS

# 4
# Cómo construir un lenguaje interno sano

«Las palabras que elijas y su uso establecen
la vida que experimentas».

SONIA CHOQUETTE

Regular y modificar nuestro lenguaje interno es un trabajo que requiere dedicación y esfuerzo, por lo que tu compromiso ha de ser sólido y seguro. Aunque parezca que las palabras que reproducimos al cabo del día no tienen importancia, pronto te darás cuenta de que nada de lo que decimos es irrelevante. Cada palabra nos lleva a un proceso cerebral y este provocará cambios tanto en nuestra respuesta físico-emocional como en nuestra manera de actuar. Esos cambios podrán ser desde leves a muy significativos. Es decir, podemos tener desde una ligera inquietud ante un examen o desarrollar una crisis de ansiedad, podemos sentirnos tristes ante una noticia o caer en una depresión, etc. La forma en que interpretemos los acontecimientos de nuestra vida nos hará vivir la experiencia de un modo u otro.

Como he dicho anteriormente, la intención de este cuaderno es propiciarte el conocimiento a través del cual tengas la capacidad de desarrollar un lenguaje interno más sano y fluido. Como has visto en los distintos ejemplos, un lenguaje que active la aceptación, la compasión y la flexibilidad, permitiéndonos ajustarnos a las situaciones que vivimos desde una actitud más proactiva. En definitiva, un autohabla que nos haga más RESILIENTES.

Durante los capítulos anteriores te he mostrado cómo nuestra propia forma de expresarnos nos indica la manera en que nos vemos a nosotros mismos. Por ello, el cambiar ciertas estructuras de ese lenguaje nos hará sentirnos más capaces, más preparados para actuar ante cualquier circunstancia que nos toque vivir, y siempre preservando nuestra autoestima. Para ello necesitaremos ser muy conscientes del uso que hacemos de nuestro propio lenguaje, pues esta consciencia es la que nos permite comenzar el cambio.

Pero cómo puedo hacerlo, cómo puedo cambiar mi manera de expresar lo que siento. En este sentido, lo primero que hemos de preguntarnos es qué tipo de lenguaje usamos a diario, cómo es nuestra actitud de escucha, si realizamos una escucha activa o, por el contrario, tenemos una actitud reactiva ante la vida o cualquier circunstancia que nos toca vivir. También será importante observar cuántas veces durante el día usamos un lenguaje más amable, compasivo o proactivo, y cuándo lo usamos, cómo actuamos o nos sentimos. Es decir, para que se produzca el cambio es importante desarrollar una labor de observación y escucha activa. Fíjate en el tipo de frases que empleas, si se basan en elecciones abiertas a posibilidades o si se sustentan en posiciones rígidas, en un «debo» o «tengo» o «necesito». Si es así, empezaremos por utilizar otras expresiones que te ayuden a acercarte a tus objetivos de otra manera más progresiva, más motivadora: «quiero», «puedo», «voy a», «elijo», es decir, no es lo mismo pensar «debo ir al supermercado» que «quiero ir al supermercado». En la primera frase hay exigencia, tensión y nos predispone al estrés y la ansiedad; en la segunda hay flexibilidad, apertura, nos conduce a realizar las cosas de manera paciente y relajada, asumiendo nuestra responsabilidad, pero sin la tensión de la exigencia rígida del DEBO.

Otra frase que solemos usar constantemente es «necesito tiempo para mí» frente a «me encantaría tener más tiempo para hacer las cosas que me gustan» o «podría tener más tiempo para aquellas cosas que me gustan» o quizá, simplemente, «solo tengo que ser más consciente de mi tiempo para vivirlo de manera más intensa», de esta manera descubriríamos que todo lo que vivimos es nuestro tiempo. Si lo analizamos, en la primera lo hacemos una necesidad, lo que implica que, si no lo conseguimos, nos provocará frustración, tensión y angustia, y nos hará creer que no estamos siendo capaces de vivir nuestra vida, o que en la vida hay que vivir otras experiencias diferentes a las que hacemos a diario, cuando la realidad es que todo es nuestro tiempo y todo forma parte de lo que hemos elegido. Sin embargo, en la última, nos planteamos una realidad que tal vez nos ayudaría a sentirnos más satisfechos, que es ser más consciente de aquellas cosas que nos gustan y participar más de los instantes, viviendo con más plenitud las experiencias.

Si te das cuenta, el uso de un lenguaje interno proactivo nos proyecta hacia nuestras metas y objetivos, además de hacernos afrontar los hechos de nuestra vida de manera sana y óptima. Por el contrario, un lenguaje duro, reactivo o negativo nos lleva a bloqueos y acciones precipitadas e impulsivas que harán que nuestras peores profecías se cumplan. Por lo que iremos creando un concepto de nosotros mismos y de la vida más complejo, más débil y vulnerable, donde parecerá que no tendremos control sobre los acontecimientos y todo dependerá del destino, de los demás o los signos del zodiaco.

Así que ahora tomemos unos minutos para desarrollar nuestro lenguaje interno y realicemos el siguiente ejercicio: pensemos en frases que sean más adaptativas, objetivas y que nos ayuden a aceptar sin juicios, sin etiquetas y que nos permitan una apertura hacia soluciones creativas.

Para ello, observemos e identifiquemos los mensajes peyorativos y reactivos que podemos usar en el día a día, anotémoslos y tratemos de buscar expresiones más proactivas.

Ejemplos:

**Expresiones reactivas/negativas**

«No soy capaz»

«Nunca lo conseguiré»

«La voy a cagar»

«Soy la peor»

«Soy fea»

**Expresiones proactivas**

«Sé que es difícil, pero puedo intentarlo»

«Todo lleva su tiempo, aunque con dedicación y esfuerzo podré hacerlo»

«Sé que puedo equivocarme, pero es algo que forma parte de mi aprendizaje»

«A pesar de mis diferencias y limitaciones, sé que puedo mejorar cada día. Solo quiero permitirme el tiempo para conseguirlo»

«Sé que no soy el prototipo de mujer que venden y, a pesar de ello, acepto mi diferencia y me quiero a mí misma completamente y me gustaría darme la oportunidad para vivir cada instante de mi vida plenamente»

En estos ejemplos, observas cómo a través de un lenguaje proactivo somos directores de nuestra propia mente, vamos guiándonos hacia una realidad más tolerante y abierta en la búsqueda de una armonía con nosotros mismos. Es una forma de encontrarnos bajo una posición de respeto y amor a lo que somos, con el único propósito de crecer y afrontar nuestra vida de manera más adaptativa. En cada frase proactiva, si te fijas, hay una clave primordial: **la aceptación del problema y nuestra propia aceptación**. Si no existen estas dos premisas, difícilmente podremos emprender el cambio psicológico. Solo así tendremos la capacidad de iniciar la interesante tarea de empezar a modificar nuestros paradigmas. Cambiar nuestras creencias, flexibilizar nuestros argumentos o permitirnos la posibilidad de tomar otras perspectivas como ejemplos de vida se convertirá en un paso significativo y prioritario en nuestra búsqueda de madurez y adaptación sana y creativa.

Decía Viktor Frankl, neurólogo, psiquiatra y filósofo austriaco, fundador de la logoterapia y el análisis existencial, y que sobrevivió en los campos de concentración de Auschwitz y Dachau, que «nuestra mayor libertad humana es que, a pesar de nuestra situación física en la vida, ¡siempre estamos libres de escoger nuestros pensamientos». Y esto nos da la libertad de elegir hacia dónde queremos evolucionar, cómo queremos sentir y, en consecuencia, cómo queremos actuar desde una consciencia plena.

Realizar estos cambios en nuestro lenguaje interno requiere responsabilidad y compromiso, ya que, visto así, parece simple, además de tonto, pues pensarás lo siguiente: «Entonces, para dejar de sufrir, solo tenemos que cambiar una frase por otra y ya está». No, pero uno de los requisitos es que prestemos atención a nuestra forma de hablarnos y pensar y procuremos evolucionarla hacia una forma más proactiva, puesto que eso hará que nuestro sistema nervioso central esté más dispuesto a buscar opciones y sentido de vida y no quede atrapado en bloqueos y aprendizajes antiguos y obsoletos.

Tomar frases o expresar nuestras experiencias siguiendo los fundamentos antes explicados nos permitirá llevar a cabo un proceso de transformación y adaptación constantes. Pero, sobre todo, **lo que buscamos es un acto de amor hacia uno mismo, un acto de respeto, de aceptación total de lo que somos (HUMANOS), seres imperfectos que en la PRÁCTICA DE LA VIDA van ajustando y adaptando sus aprendizajes y saberes a las circunstancias que nos toca vivir**.

No es solo buscar unas frases y repetirlas, es llevar a nuestra mente, a todo nuestro sistema nervioso, a nuestro inconsciente, a moverse, a reestructurarse, a tratar de encontrar otras posibilidades, a salir de la rigidez de sus creencias antiguas, a desbloquearse y tener la capacidad de regenerarse continuamente. Es darnos cada día una oportunidad de crecer, motivarnos a vivir cada día con **INTENCIÓN** y dirigir esa intención hacia donde nosotros elijamos, hacia ese lugar donde nosotros seamos lo más importante.

Pero no nos han educado en esa dirección, nunca nos dijeron que amarse es lo primero, que autoquererse no era un acto egoísta. Todo lo contrario, nos enseñaron que quererse era algo mal visto y caprichoso, que eso nos hacía ser malas personas y que nos quedaríamos solos si pensábamos únicamente en nosotros. Sin embargo, ¿cómo podré querer a los demás si soy incapaz de tratarme con respeto o de acercarme a mis dificultades y problemas con amabilidad y comprensión, si rechazo constantemente cada parte de mi cuerpo o de mi persona? ¿Cómo perdonaremos a los demás si somos tan torpes emocionalmente que no contemplamos la posibilidad de perdonar nuestros errores, nuestras decisiones o nuestros momentos de vida impulsivos e irracionales?

Cuántas veces en consulta muchas mujeres se rechazan por haberse quedado embarazada y, en consecuencia, haber creado un daño a la familia, un daño irreparable por el qué dirán social. Cuando el embarazo (no violación y abuso) se produce debido a un acto de vida, en un acto de amor, un acto de deseo, es decir, un acto HUMANO, tan natural, tan eterno como la propia vida. Cómo podemos culparnos y atacarnos durante años y desarrollar complejas patologías por la incapacidad para comprendernos, aceptarnos y tomarnos con compasión. **Cómo hacemos para vivir en equilibrio emocional si no somos capaces de abrazarnos con nuestras palabras, si no sabemos mirarnos a los ojos sin huir, y menos aún escucharnos**.

Por tanto, empieza por hablarte y decirte que TE AMAS Y ACEPTAS A PESAR DE TUS ERRORES Y CONTRARIEDADES DE VIDA, que estás dispuesto a DARTE LA OPORNUNIDAD DE PODER REALIZAR LOS CAMBIOS necesarios hasta conseguir el equilibrio y la estabilidad que buscas. Inicia un acto de CONCILIACIÓN contigo mismo, llega a un compromiso diario para avanzar desde el respeto y el cariño tanto a ti mismo como a todo lo que hagas, tomando la vida como un descubrimiento constante que ha de ser vivido y experimentado.

Aprendamos a tomar la vida como una experiencia que nos dotará del conocimiento necesario para seguir nuestro camino y dar sentido a cada decisión, a cada acto.

Experiencia tras experiencia vamos fortaleciendo nuestra RESILIENCIA. No hay otro camino, no te pierdas ni busques, la única manera de vivir feliz es PRACTICAR LA VIDA con plenitud, viviendo cada instante que nos llegue de manera consciente y despierta.

## RECORDEMOS QUE:

**1.** Prestemos atención a nuestro lenguaje interno.

**2.** Usemos un lenguaje interno proactivo que se base en los fundamentos explicados.

**3.** Dejemos a un lado expresiones rígidas como «tengo que», «no puedo», «debo», «soy así», etc.

**4.** Empecemos a construir expresiones más proactivas, abriendo nuestras opciones, dando alternativas, buscando la comprensión y compasión de los hechos: «me gustaría», «podría», «prefiero», «elijo», etc.

**5.** Un lenguaje proactivo nos permitiría reaccionar y decidir de manera más efectiva y adaptativa.

**6.** Un lenguaje reactivo nos lleva a bloqueos e interpretaciones irracionales como, por ejemplo, que no tenemos libertad para elegir o decidir lo que nos importa.

**7.** PRACTIQUEMOS LA VIDA, permitiéndonos sentir y experimentar cada instante, sea del tipo que sea. No lo juzgues, solo vívelo.

# 5
# Guía de trabajo diario para desarrollar un lenguaje interno sano y adaptativo

Para iniciar un cambio significativo en nuestra vida, es necesario empezar por cultivar el hábito de la proactividad. Si queremos empezar a llevar el barco adonde nos interesa, debemos comenzar por sujetar firmemente el timón.

Por tanto, ahora que tenemos las cartas de navegación y los instrumentos para navegar, ya podemos practicar. La única manera de comprender la mar y los vientos es SENTIRLOS y VIVIRLOS con intensidad.

Paulo Freire, pedagogo y filósofo brasileño, en su *Pedagogía de la autonomía*, nos refiere que navegar implica el dominio del barco y para ello hemos de saber las partes que lo componen y la función de cada una de ellas, el conocimiento de los vientos, la fuerza, su dirección, su relación con las velas, la posición de las velas, el papel del motor y de la combinación entre motor y velas. Y será en la práctica de navegar donde se confirmen, se modifiquen o se amplíen esos saberes.

Es cierto que salir a navegar con poca o ninguna experiencia nos provocaría miedo y tensión, lo cual es necesario para mantener todos nuestros sentidos alerta, además de generar los cambios fisiológicos para responder a cualquier golpe de mar. También, como buen capitán, llevar salvavidas y todos los elementos necesarios de seguridad es un principio fundamental de la navegación, pero eso creo que ya lo tenemos, o al menos los principales. Así que solo nos queda ponernos el chaleco, izar las velas, agarrar el timón con fuerza y comenzar a surcar las olas con suavidad y calma.

Para ello, y si realmente hemos adoptado el compromiso de querer evolucionar hacia una actitud proactiva y vital, sería interesante que tomásemos tiempo cada día para trabajar en el cambio.

Todo capitán lleva un cuaderno de bitácoras. Nosotros utilizaremos el nuestro como una herramienta útil y práctica. En él, como hemos referido en un capítulo anterior, empezaremos a anotar todos los mensajes que nuestra mente vaya expresando en aquellos momentos significativos o en los que advirtamos que comenzamos a producir ideas, frases o pensamientos con un contenido negativo, desagradable, crítico, exigente, humillante, descalificador, evitativo, obsesivo, etc. Es importante anotar todas esas palabras peyorativas y cargadas emocionalmente, pues además de que poco a poco nos iremos haciendo conscientes de todo ese flujo de procesos mentales y cómo actúan en nuestro sistema perceptivo-reactivo, también conseguiremos ir adquiriendo la habilidad de reconocerlos cada vez mejor y así poder actuar de manera más directa sobre ellos, asumiendo cada vez mayor control y capacidad proactiva.

Recordemos que uno de los aspectos que había que cuidar a la hora de poder cambiar nuestras perspectivas era tomar distancia, algo que estamos haciendo con nuestras anotaciones, ya que, podremos volver a ellas cuando estemos en un momento de calma y tranquilidad, lo que nos permitirá hacer un trabajo desde la apertura necesaria para contemplar todas las perspectivas posibles.

Recordemos, además, que EN AGUAS TURBIAS NO VEREMOS EL FONDO.

Con respecto a esto, hay multitud de fórmulas que puedes adoptar, desde ejercicios de respiración, relajación, *mindfulness*, meditación, hasta autohipnosis. Es decir, cualquier actividad que te reporte serenidad y calma.

A continuación, propongo una actividad muy interesante. Al igual que en la explicación del segundo fundamento, la compasión, en el capítulo 3, podemos grabar la siguiente experiencia sensorial. A través de ella, trabajaremos la mecánica para llegar a conseguir un buen dominio de la autorrelajación mental.

Para ello, busquemos un lugar lo más silencioso posible y en el que durante unos minutos nadie nos moleste. Cuando esté todo dispuesto, pon en marcha la grabadora de voz de tu móvil y empieza a leer este texto, con una voz suave, manteniendo la cadencia y el tono durante toda la grabación.

## TEXTO PARA GRABAR

Ahora que te has permitido elegir un momento para ti y estás sentada/tumbada y tu cuerpo siente el contacto con la silla, sillón o colchón (dependerá del lugar que escojas para hacer tu práctica) y empiezas a ser consciente de los ruidos y sonidos que te rodean, desde el silencio sonoro de la habitación al sonido de tu respiración y todos aquellos que en cada momento puedan surgir de manera espontánea… y sientes tus manos apoyadas, descansando su peso, y cómo poco a poco te vas haciendo más consciente y tu cuerpo más confortable y tranquilo… inspira y espira, suelta el aire de manera lenta… Inspira y siente el frescor del aire entrando por tu nariz… y deja que ese nuevo oxígeno recorra poco a poco cada parte de tu cuerpo… Nota cómo, a medida que inspiras, tu cuerpo se siente más y más reconfortado y tranquilo… Siente con cada inspiración, con cada bocanada de oxígeno, cómo tu cuerpo se regenera… y tu mente más capaz, tus neuronas más activas… y tu mente más abierta… Inspira y espira suave, lentamente, y siente tu respiración… y los latidos de tu

corazón… y cómo tus pulmones se hinchan y deshin-
chan al respirar… con suavidad, lenta y profundamente… A medida que respiras, más consciente de
las sensaciones que va produciendo tu cuerpo y tu
respiración y tu mente más liberada, más abierta…
más flexible y compasiva… Inspira suavemente ese
oxígeno rejuvenecedor, fresco. Deja que inunde tu
cuerpo… como cuando abrimos una ventana en casa
y permitimos que la habitación se airee, liberando
todo lo viciado y viejo, y permitiendo que todo el aire
nuevo que entra devuelva a cada rincón de la habitación frescor y vida, rejuveneciendo los aromas, y
siente esa sensación fresca, esa sensación cada vez
más profunda de serenidad y calma… Inspira suave y
lentamente y siente el aire fresco y espira despacio
dejando salir todo lo viciado, el aire viejo y antiguo…
A medida que respiras… tu cuerpo está más y más
calmado y tranquilo y tu mente mucho más capaz,
mucho más abierta, más proactiva… y todo lo demás,
a mucha más distancia.

Imagina por un momento, a un metro de ti, de tu
cara, una bola blanca, fresca, llena de oxígeno puro…
Imagina cómo, con cada inspiración, que poco a poco
vas inhalando de esa bola fresca y pura… tu cuerpo
más descansado, más suelto y libre, y tu mente, más
abierta, liberando tu inconsciente… Inspira suave
y lentamente… Siente cómo todo ese aire blanco y
fresco pasa por tu nariz… tu garganta… llegando a tu
pecho… tus pulmones… Cómo se va extendiendo poco

a poco entre tus miembros, tus brazos... tus piernas... hasta llegar a tus pies... Siente a medida que inspiras cómo tu cuerpo se inunda de todo ese aire fresco, puro, abriéndose a lo nuevo, a la vida, y todo lo demás, con cada espiración, va saliendo a mucha más distancia, espira lenta y suavemente dejando todo lo viejo, lo que no aporta, lo que nos bloquea y contrae, a mucha más distancia... Espira y suelta el aire lentamente... Inspira aire fresco, nuevo y siéntelo entrar por tu nariz, subir a tu cerebro, inundarlo mientras tus neuronas se activan y rejuvenecen, permitiendo que tu mente sea más libre y capaz y tú, más calma, más tranquila y serena, más capaz para elegir, para abrirte al presente, al aquí y ahora... Disfruta de este instante de relax, de este presente de tranquilidad... Siente solo tu respiración. Cuando te preocupas es porque te desligas del presente. Cuando tu mente está en el pasado o en el futuro, ¡nunca en el presente! Ahora estás aquí, siente tu cuerpo, relajado, suelto, siente tu respiración suave y lenta... Siente tu respiración sosegada y rítmica y cómo tus pulmones se llenan de ese aire fresco, nuevo y rejuvenecedor... Nota tu corazón bombeando todo ese oxígeno a cada parte de tu cuerpo y siente el fluir de la sangre recorriendo tus venas y arterias llegando a cada célula, rejuveneciéndolas, activándolas, haciendo tu cuerpo más libre, más sano y relajado, y tu mente, aquí y ahora, mucho más capaz, más abierta, más liberada. Tu mente, como decía Einstein, un paracaídas abierto, capaz de volar, de tomar una perspectiva amplia, de ver desde la distancia todo con mayor claridad, de sentirse libre, sentir la calma y todo ese aire fresco. Siente esa sensación de estar suspendida en el espacio, flotando, libre, sintiendo todo lo que ocurre a tu alrededor... Capta los sentidos a través de los cuales te llega toda la información del exterior... y del interior de ti mismo... Ahora haz consciencia de tu estado emocional, de tu estado mental, de tu estado físico... Si surge algún pensamiento ajeno al presente, ¡déjalo pasar!, déjalo ir a mucha más distancia de ti, de aquí y ahora. Permanece una y otra vez... viniendo al presente... Siente este momento a través de las sensaciones de tu cuerpo... todo este instante... Cualquier cosa que esté fuera de este lugar y momento no es presente... pero no luches contra los pensamientos... Déjalos... solos vienen y solos se irán... como nubes pasajeras mecidas por el viento... aparecen y luego desaparecen... pero lo que permanece inmutable, lo que siempre está, es el azul del espacio... de ese cielo limpio y transparente... como tu consciencia que observa ese vaivén de pensamientos... pero que no se identifica con ninguno... Cada vez más relajado, más tranquilo, más atento... Atento al presente... Y de nuevo te dejas inundar por una intensa, agradable y placentera sensación de calma y de relax. Durante unos minutos disfruta de estas maravillosas sensaciones de paz... de tranquilidad... y toma consciencia de tu yo, aquí y ahora.

Muy bien, ahora estás aprendiendo a controlar y dirigir tu propia mente… Estás aprendiendo el hábito del control mental, de cómo regular y controlar tus propias circunstancias… ser dueña de ti misma, aprendiendo a cómo dirigir tu mente, cómo sentir tus propias emociones, a elegir cómo quieres sentir en cada instante y a que nunca manden ellas sobre ti.

Cada vez que tengas algún problema, alguna situación conflictiva, lo primero que harás será tomarte unos momentos de descanso… Elegirás un lugar apropiado y, juntando los tres dedos de tu mano derecha o izquierda, la que tú elijas, harás unas respiraciones pausadas… y poco a poco volverás a situarte mentalmente en este estado de paz… tranquilidad… Saboreando esta maravillosa sensación del presente… tu mente descansará, se volverá tranquila, serena y muy fresca… y luego, de manera tranquila, cuando te apetezca, reanudarás tu actividad… y dejarás que tu intención te dé las respuestas que necesitas.

Cuantas más veces realices este ejercicio, mucho mejor y de forma más profunda se grabará en tu subconsciente y actuará después como un positivo reflejo que te ayudará a autorregularte y dirigirte a través de cada instante de vida que toque vivir.

Ahora respira suavemente y toma consciencia de ti, de tu cuerpo, de este lugar… Respira y escucha mi voz, los ruidos… Ahora, cuando cuente y llegue a tres, abrirás los ojos, tomando consciencia del aquí y ahora, de tu presente… uno… Respira, siente todo tu

**cuerpo totalmente relajado**… **Dos**… **Respira y suelta lentamente todo el aire, dejando todo lo vivido a mucha más distancia**… **Tres**… **Abre los ojos y deja tu mente tranquila y calmada, más capaz y activa.**

**Fin de la grabación.**

**(Puedes realizar este ejercicio de manera dirigida siguiendo el enlace del código QR que encontrarás en la solapa trasera.)**

Una vez encontrada la calma, y con nuestra mente más capaz y activa, será un buen momento para desarrollar el trabajo de cambio de perspectiva y buscar nuevas alternativas de pensamiento más amables y adaptativas.

De los mensajes que hayamos identificado y anotado en el cuaderno de trabajo, será interesante tomar uno cada día y dedicar un tiempo a tratar de hallar una alternativa de pensamiento respecto a él, que sea más adaptativa y funcional y que siga los principios que hemos señalado en esta obra. Recordemos que la navegación, como el desarrollo de cualquier otra arte, necesita de los cinco fundamentos que ya conoces:

Aceptación

Compasión

Realidad

Flexibilidad

Creatividad

Una vez pasado por todos los fundamentos, haber sido filtrado y haber obtenido una idea, frase, reflexión o pensamiento que reúna los criterios que hemos desarrollado durante todos estos capítulos, será interesante trabajar con ello.

No olvidemos que la mente es una herramienta maravillosa, aunque a veces nos dé disgustillos, y, más aún, cuando la ponemos a nuestro servicio. Para ello, y una vez llegado a esa frase o pensamiento más proactivo, trabajaremos con nuestra capacidad de visualización y proyección, tratando de integrar mente, emoción y cuerpo. Y todo ello con algo tan necesario como es nuestra INTENCIÓN.

**NOTA IMPORTANTE**: no confundas un pensamiento proactivo con un pensamiento positivo. Nosotros no queremos cometer el error de entender que, si pienso «soy feo», ser proactivo es decir «soy guapo». De eso nada, esta paranoia solo puede llevarnos a crearnos más dolor y más frustración, como proponen algunos libros «SECRETO-SOS». Nosotros queremos aceptar y comprender lo que somos, queremos llevarnos y dirigirnos sin ataduras de ningún tipo; ni soy feo ni tengo que ser guapo para encontrar el equilibrio y la paz necesarios para seguir con nuestra vida. Lo único que tendremos que hacer es aprender a SER NOSOTROS MISMOS y a amarnos completa y profundamente con nuestras debilidades y fortalezas, sin excepción, tomando todo lo que soy como algo excepcional y diferente. Decía el escritor inglés Oscar Wilde: «Amarse a uno mismo es el comienzo de un hermoso romance de por vida».

Y para conseguir madurar ese romance será interesante continuar con nuestro ejercicio, así que, como te decía anteriormente, pondremos nuestra imaginación a nuestro servicio. Para ello:

**a)** Imagina la situación en la que aparecía ese mensaje desagradable y tenso: «tengo que…», «no puedo…», «no soy capaz…», «nada me sale…», «nunca…», «debo…», «soy lo peor…», «soy una inútil…», etc.

**b)** Visualízate en la misma situación, pero esta vez utilizando la nueva perspectiva o alternativa de pensamiento.

**c)** Repítelo varias veces, ayudaremos a nuestro inconsciente a automatizar nuevos procesos alternativos, además de sanos y adaptativos.

**d)** Dedica varios días a repetir el ejercicio con el mismo pensamiento, idea o reflexión.

El trabajo diario hará que cada vez tomemos más consciencia de nuestros mensajes y sobre todo nos sentiremos más proactivos y capaces en la manera de dirigirnos y hablarnos. Poco a poco nos iremos sorprendiendo, utilizando un lenguaje interno más proactivo y amable, y nuestro modo de afrontar las circunstancias de vida será más adaptativo y eficaz.

Nuestro subconsciente irá automatizando los nuevos procesos hasta crear patrones activos y continuos donde el cambio será una realidad.

**NOTA:**
EL CAMBIO PSICOLÓGICO REQUIERE DEDICACIÓN, ESFUERZO, CONSTANCIA, TIEMPO Y SOBRE TODO Y LO QUE NUNCA HAS DE OLVIDAR: CON AMOR TODO ES POSIBLE.

Este cuaderno de terapia ha pretendido únicamente que no olvides que lo más importante para un ser humano es el amor hacia uno mismo, utilizando el camino de la aceptación y la compasión como únicos vehículos posibles para llegar a desarrollarnos de manera sana y plena.

**Por lo que nunca debes olvidar que...**

«si comienzas a entender lo que eres sin intentar cambiarlo, lo que eres se somete a una transformación».

**JIDDU KRISHNAMURTI**

S I M P R O
PSICOLOGÍA

Esta edición de *Las palabras las carga el diablo*, de la colección PRACTICA LA VIDA, obra de Juan Luis Ruiz Murciano, terminó de imprimirse en octubre de 2022.